新潮文庫

父と暮せば

井上ひさし著

目次

前口上

ヒロシマ、ナガサキの話をすると、「いつまでも被害者意識にとらわれていてはいけない。あのころの日本人はアジアにたいしては加害者でもあったのだから」と云《い》う人たちがふえてきた。たしかに後半の意見は当たっている。アジア全域で日本人は加害者だった。

しかし、前半の意見にたいしては、あくまで「否《いな》!」と言いつづける。あの二個の原子爆弾は、日本人の上に落とされたばかりではなく、人間の存在全体に落とされたものだと考えるからである。あのときの被爆者たちは、核の存在から逃れることのできない二十世紀後半の世界中の人間を代表して、地獄の火で焼かれたのだ。だから被害者意識からではなく、世界五十四億の人間の一人として、あの地獄を知っていながら、「知らないふり」することは、なににもまして罪深いことだと考えるから書くのである。おそらく私の一生は、ヒロシマとナガサキとを書きおえたときに終わるだろう。この作品はそのシリーズの第一作である。どうか御覧になってください。

父と暮せば

1

音楽と闇《やみ》とが客席をゆっくりと包み込む。しばらくしてどこか遠くでティンパニの連打。遠方で稲光り。

――やがてバラックに毛が生えた程度の簡易住宅が稲光りの中に浮かび上がってくる。現在《いま》は昭和二十三（一九四八）年七月の最終火曜日の午後五時半。ここは広島市、比治山《ひじやま》の東側、福吉《ふくよし》美津江の家。間取りは、下手から順に、台所、折り畳み式の卓袱台《ちゃぶだい》その他をおいた六帖《じょう》の茶の間、そして本箱や文机《ふづくえ》のある八帖が並んでいる。なお、八帖には押入れがついている。

……と、茶の間の奥に見えていた玄関口に下駄《げた》を鳴らして、美津江が駆け込んでくる。二十三歳。旧式の白ブラウスに、仕立て直しの飛白《かすり》のモンペをきりっとはいて、ハンドバッグ代りの木口の買物袋をしっかりと抱いている。茶の間に足を踏み入れたとき、またも稲光り。美津江、買物袋を抱き締めたまま畳に倒れ込み、両手で目と耳を塞《ふさ》いで、

美津江　おとったん、こわーい！

押入れの襖《ふすま》がからりと開いて上の段から竹造、

竹造　こっちじゃ、こっち。美津江、はよう押入れ《とだな》へきんちゃい。

竹造は白い開襟《かいきん》シャツに開襟の国民服。雷よけに座布団《ざぶとん》を被《かぶ》っているが、美津江にも座布団を投げてやって、

竹造　なにを《なにゅー》しとるんね、はよう座布団《だぶとん》かぶって下段《した》へ隠れんさい。

美津江　（ギクリが半分、うれしさも半分）おとったん、やっぱあ居《お》ってですか。

竹造　そりゃ居るわい。おまいが居りんさいいうたら、どこじゃろといつじゃろと、わしは居るんじゃけえのう。居らんでどうするんじゃ。

美津江　じゃけんど、こげえド拍子もない《なー》話があってええんじゃろうか。こげえ思いも染めん話が……、

竹造　なにをぐどりぐどりいうとる。はようこっちへ……（閃光《せんこう》に）ほら、来よったが！

美津江　（押入れへ入り込みながら）……おとったん！

遠のいて行く稲光りと雷鳴。その合間を縫って押入れの上段と下段で、

竹造　おとったんと押入れ《とだな》と座布団《ざぶとん》と、味方が三人もついとるけえ、ピカピカがこようが、ドンドロが鳴ろうが、もう大丈夫じゃ。

美津江　じゃけんど、うちゃあもう二十三になるんよ。ええ大人がドンドロさんが鳴るいうてほたえ騒いどる。情けのうてやれんわ。ほんまに腹の立つ。

竹造　(断乎《だんこ》として) おまいが悪いんじゃない《なー》。

美津江　……どうも。

竹造　おまいはこないだじゅうまで女子専門学校の陸上競技部のお転婆《てんば》で、ドンドロさんが鳴りよろうが平気で運動場を走り回っとったじゃないか。

美津江　（大きく頷《うなず》いて）部員が三人しかおらんかったけえ、短距離から長距離まで、うちが一人で受け持っとった。そいじゃけん忙しゅうて忙しゅうて、ドンドロさんなぞに構《かも》うとられんかった。
竹　造　その胆《きも》の太い《ふてー》おまいが、こげえほたえ騒ぐようになったんはなひてじゃ。
美津江　……それがようわからんけえ、おとろしゅうてならんのよ。
竹　造　ほいでに、いつから、そがあなったんじゃ。
美津江　三年ぐらい前から、かいね。
竹　造　あのピカのときからじゃろうが。
美津江　やっぱあ……？
竹　造　（頷いて）富田写真館の信《のぶ》ちんを知っとろうが？
美津江　うちらしじゅう写真を撮ってもろうとったね。
竹　造　腕のええことじゃあ広島でも五本指に入る写真屋じゃ。

美津江　ほいでにおとったんと組んでいっつもあぶない《なー》ことをしとってでした。

竹造　……あぶない《なー》？

美津江　あのころ、おとったんはうちんとこ、福吉屋旅館をまるごと陸軍将校の集会所に貸しとったけえ、その伝手《つて》で物資《もの》がぎょうさんあって、

竹造　あったよのう。お米にお酒、鮭《さけ》缶に牛缶、煙草《たばこ》にキャラメル、押入れ《とだな》にはなんでもありようた。おまいはまだねんねんのときにおかやん亡《のう》くしたふびんな女の子《おなごんこ》じゃけえ、母の愛には飢えても物に飢えさせたらいけん思うて、おとったんはいのちこんかぎり……、

美津江　お米や煙草で釣って女子《おなご》衆《しゅ》を温泉へ連れ出して、湯に入っとるところを信ちんおじさんがこそっと写真に撮って、それを将校さんたちに見せとってでした。ほいから……、

竹造　(さえぎって) じゃけえ、その信ちんは、いまは駅前マーケットでええ加減な芋羊羹《いもようかん》を売っとってじゃ。

美津江　知っとる。

竹造　立派な技量を持っとるあの信ちんがなひて闇屋の真似《まね》をせにゃ生きて行けんのか。

美津江　裸写真を撮った罰《ばち》があたったんよ。

竹造　まじめに聞かにゃあいけん。

美津江　ごめん。

竹造　あれからこっち、マグネシュウムがピカッ、ボンいうて光りよるたんびに、あのピカの瞬間が、頭の中に、それこそよう撮れた写真を見るようにパッと浮かび上がってくる、そいがおとろしゅうてどもならんけえ、写真屋はやめた、信ちんはそがいいうとった。つずまり、マグネシュウムもドンドロさんもピカによう似とるけえ、信ちんも、おまいも、ほたえるようになったんじゃ。

美津江　……ほうじゃったか。

竹造　ほいじゃが。理由があって、ほたえとるんじゃけえ、恥ずかしい思うちゃいけんど。そいどころか、ピカを浴びた者は、ピカッいうて光るもんにはなんであれ、それがたとえホタルであってもほたえまくってええんじゃ。いんにゃ、けっかそれこそ被爆者の権利ちゅうもんよ。

美津江　そがん権利があっとってですか。

竹造　なけりゃ作るまでのことじゃ。ドンドロさんにほたえんような被爆者がおったら、そいはもぐりいうてもええぐらいじゃけえのう。

美津江　（ピシャリと）それはちいっと言いすぎとってですよ。

竹造　そりゃまあ、ごもっともじゃが……。（縁先へ這《は》い出して空模様を窺《うかが》い）やあこれは。お日《ひー》さんが出とりんさる。

美津江　（少し這い出して見て）ほんまじゃ。

竹造　ドンドロさんはどうやら宇品の海の上へ退《の》きゃんしたげな。

美津江　やれうれし。

ほっとして立つと台所から小さな土瓶と湯呑《ゆのみ》を持ってくる。

美津江　今朝、図書館へ出る前に入れとった麦湯があるんよ。飲もうか。

竹造　そりゃええのう。

美津江、二つの湯呑に注いで自分のを一気に飲む。竹造、湯呑を口まで持って行くが、とんと下において、

竹造　わしゃよう飲めんのじゃけえ。

美津江　あ、そうじゃったかいね。

美津江、竹造の分もおいしそうに飲む。竹造、それを食い入るよう

に見ていたが、

竹造　これは大変《こと》じゃ。

美津江　どひたんな？

竹造　饅頭《まんじゅう》じゃが。さっき図書館で、木下さんがおまいに饅頭くれんさったろうが。あれ、まさか潰《つぶ》れとりゃせんじゃろうの。

美津江　……いけん。

今しがたまで大事に抱いていた買物袋から、新聞紙で包んだものを出してそっと開く。……大判饅頭はどうやら無事。

竹造　（感嘆して）どっしりしとる。

美津江　駅前マーケットに出とったんじゃと。

竹造　近ごろ出色の饅頭じゃ。

美津江　木下さんも、一目見たとたんぴたり足が止まったいうとられた。金縛りにでも会《お》うたようにどがいしてもその前を通り抜けられん、ほいで一個買《こ》うたが、まだ足が重うてならんけえ、引き返してもう一個買うたら、ようやっとふだんのように歩けるようになったんじゃと。

竹造　たしかにそれだけの迫力は備わっとるで。

美津江　ほいで木下さんは図書貸出台におったらうちんとこへきて、こげえいいんさったんよ。ぼくは二つもよう食えんけえ、一つは福吉さんがたべてつかあさい。（二つに割る）たべようね。

竹造　そいじゃけえ、わしゃあよう食えんのじゃ。

美津江　あ、そうじゃったか。

美津江、食べながらもう半分を紙で包む。生つばをのみながら見て

いた竹造、気を取り直して、

竹造　それをおまいにくれんさったあの木下いう青年じゃがの、今日、ここの文理科大学の先生じゃいうておいでじゃったのう。

美津江　(頷いて) この九月から物理教室の授業嘱託をなさるんじゃと。

竹造　授業嘱託いうと……?

美津江　助手のことじゃ。

竹造　(なんども頷きながら) 牛乳瓶の底より分厚い眼鏡《めがによー》をかけて、いっつも大けな鞄《かばん》をかかえて、ほいで落ち着いた話し振りをしとってで、こりゃごついインテリさんじゃあるまいか、そがあ睨《にら》んどったが、やっぱあのう。

美津江　ピカの年まで呉《くれ》の海軍工廠《こうしょう》で工員養成所の教官をしておられたんじゃと。海軍技術中尉じゃったんと。

竹造　海軍さんにしちゃあ、どっか泥臭《どろくしゃー》いところもあっとってじゃがのう。

美津江　そりゃいろんな海軍さんがおるわいね。ほいで戦さが終わってからは二年間、母校の東北帝大で大学院生をやっとられて、今月、七月のあたまにまたこっちへ戻りんさったいうことじゃげな。そうじゃ、ピカのすぐあと、この広島の赤土の焼け野原を一日《いちんち》かけて歩き回ったことがあるいうとられたよ。

竹造　おいくつぐらいかのう。（推測して）三十……？

美津江　二十六じゃと。図書貸出票にはそう書いとられたけえ。

竹造　ほいでおまいが二十三とくるけえ、こりゃよう釣り合《お》うとる。

美津江　（一瞬ニコリ、だがすぐ猛然と腹を立てる）なにいうとってですか。木下さんはただの利用者じゃけえ。

竹造　（断言する）ただの利用者が饅頭なぞようくれんぞ。

美津江　ばからしゅうて、もうやっとられん。さあ、晩の支度じゃ。おとったんはまだ居ってん？

竹造　そりゃおまい次第じゃろうがのう。

美津江　ほいじゃ、そのへんをきれいにしといてつかあさい。

美津江はエプロンつけて台所へ行き弁当箱（木製）を洗い出す。竹造もエプロンつけて叩《はた》きなどを持ち出すが、まったく怠けて、

竹造　いまの話じゃがのう、木下さんはおまいが気に入ったけえ、饅頭をくださったんじゃ。そこらへんをもうちっとわかってあげにゃあいけん。

美津江　おとったんは饅頭に意味を求めすぎます。

竹造　饅頭にも意味ぐらいあらあのう。おまいにその意味を読み取る勇気がないだけじゃ。

美津江　木下さんはお礼のつもりでくれんさったんよ。それだけのことじゃ。

竹造　そがいに言い切ってええんじゃろか。

美津江　おとったんたら！

美津江、茶の間へきて改まる。

美津江　ちょっとこっちへきて坐《すわ》ってつかあさい。……四日前、先週金曜のお昼すぎ、「原爆関係の資料がありますか。市役所へ行ったら、図書館で訊《き》いてみてくださいと言われたんですが」いうてこられた方があって、その人が木下さんじゃったんよ。ふだんのうちなら、おいとりません、ですませてしまうんじゃけど、なんかしらん、木下さんの声の調子が一途《いちず》じゃった。ほいで、こげえ説明してあげたんよ。「原爆資料の収集には占領軍の目が光っとってです。たとえ集めたとしても公表は禁止されとってです。それに一人の被爆者としては、あの八月を忘れよう忘れよう思うとります。あの八月は、お話もない《なー》、絵になるようなこともない《なー》、詩も小説もない《なー》、学問になるようなこともない《なー》、一瞬のうちに人の世のすべてがのうなっていました。そがいなわけですけえ、資料はよう集めておらんのです。それどころか資料が残っとるようなら処分してしまいたい思うぐらいです。うちも父の思い出になるようなものはなんもかも焼き捨ててしまいました」……。饅頭はそのときのお礼、それだけのことじゃ。

竹造　図書館には貸出台が二つ並んどって、どっちゃにも女の子《おなごんこ》の館員が坐っとる。

美津江　へえ、高垣さんとうちじゃが、そいがどないしたんな。

竹造　あのピカからこっち、おまいはすっかり人変わりしおって、いまじゃ無口の、愛想なしの、いっつも伏し目がちの女の子、笑ういうたらここへ帰ってきてからぐらいなもんじゃ。ひきかえ高垣さんは明るい人柄で評判じゃ。

美津江　じゃけえ、そいがどないしたいうて訊いとるんです。

竹造　なひて木下さんは、寄り付きやすい高垣さんではのうて、愛想なしのおまいに話しかけてきなさったんか。そこんとこが大事じゃ。ふつうなら高垣さんのところへ行くんが筋道いうもんじゃろうが。

美津江　そがあことは木下さんの勝手でしょう。

竹造　じゃけえ、わしゃこげえいいたいんじゃ。木下さんはえらい上にかしこいお人じゃてな。おまいはもともと気立てもよきゃ頭も冴《さ》えた明るい女の子《おなごんこ》、なんせえ女専を二番で卒業したほどの才女じゃけえのう。木下さんはおまいのその本来の姿を一目で見抜きんさって、おまいに興味をもった。これが饅頭に隠されとった意味じゃ。

美津江　いつまでも突飛《とっぴ》なことをいうとったらええです。（台所へ立つ）何日でもそこでばかばか《ばー》りいうとりんさい。うちはもう知らんけんの。

竹造　饅頭に隠されたもう一つの意味はなんじゃろか。

美津江　饅頭の話はもうやめてちょんだいの。

竹造　こいはおまいにとって大事中の大事じゃけえ、あくまで饅頭の意味を追求せにゃあいけん。

美津江　ここんとこへきてにわかに現れてきんさって、ばかばか《ばー》りいうとってですけえ、うちゃあもう、あたまァ痛《いと》うてやれんわ。

竹造　結句おまいも木下さんを好いとるんじゃ。たがいに一目惚《ぼ》れ、やんがて相思相愛の仲になるいうことよのう。見かけはごつう固そうじゃが、中味はえっと甘い《あまー》。おまいの心は饅頭とよう似とる。

美津江　(叫ぶ) そがいなことはありえん。……人を好きになるいうんを、うち、自分で自分にかたく禁じておるんじゃけえ。

竹造　木下さんをなんとも思うておらんのじゃったら、おまいは今日その場で饅頭を突き返しとったはずじゃ。

美津江　いつも静粛に！　そいがうちの図書館の第一規則なんよ。「こないだはどうも。饅頭どうぞ」「うち困ります」「そう言わずにぜひどうぞ」「饅頭《まんじゅうー》をいただくんは規則で禁じられとります」……窓口でそがいなへちゃらこちゃらした問答がでける思うとんの。館長さんも主任さんも、ほいて隣りの高垣さんも、みんな聞き耳《みみゅー》を立てとるんよ。黙って貰《もろ》うとくよりほか術《すべゃー》はありゃせんが。

竹造　明日は木下さんと会うんじゃろう。昼休みに図書館近くの千年松で会おういう約束をしとったろうが。

美津江　それも断ろう思うたんじゃけえ……、

竹造　窓口でいつまでもへったらこったら問答しとるわけにはいかんかったいうんか。

美津江　ほいじゃけえ、ウンちゅうて頷《うなず》いただけのことじゃ。

竹造　ありゃあのう……、

美津江　おとったんもよう見とってつかあさい。明日は《あしたー》木下さんに、二度とうちに声をかけんでくれんさいいうて、はっきりことわってくるけえ。

竹　造　なひて万事そがいに後ろ向きにばかり《ばー》考えよるんじゃ。木下さんを好いとるなら好いとるでええじゃないか。こっちはあっちを好いとる、あっちもこっちを好いとる。そいじゃけん、こっちとあっちが一緒になれたらしあわせ。これが木下さんのくれんさった饅頭のまことの意味なんじゃ。

美津江　うちはしあわせになってはいけんのじゃ。じゃけえもうなんもいわんでつかあさい。

竹　造　これでもおまいの恋の応援団長として出てきとるんじゃけえのう、そうみやすうは退《の》かんぞ。

美津江　……応援団長？

竹　造　ほうじゃが。よう考えてみんさい。わしがおまいんところに現れるようになったんは先週の金曜からじゃが、あの日、図書館に入ってきんさった木下さんを一目見て、珍しいことに、おまいの胸は一瞬、ときめいた。そうじゃったな。

美津江　(思い当たる)……。

竹造　そのときのときめきからわしのこの胴体ができたんじゃ。おまいはまた、貸出台の方へ歩いてくる木下さんを見て、そっと一つためいきをもらした。そうじゃったな。

美津江　(思い当たる)……。

竹造　そのためいきからわしの手足ができたんじゃ。さらにおまいは、あの人、うちのおる窓口へきてくれんかな、そがいにそっと願《ねご》うたろうが。

美津江　(思い当たる)……。

竹造　そのねがいからわしの心臓ができとるんじゃ。

美津江　うちに恋をさせよう思うて、おとったんはこないだからこのへんをぶらりたらりなさっとったんですか。

竹造はにっこり笑う。

美津江 恋はいけない。恋はようせんのです。もう、うちをいびらんでくれんさい。

竹造 そがいに強うこころを押さえつけとってはいけんがのう。あじもすっぱもない人生《にゃー》になってしまいよるで。

美津江 もうおちょくらんでくれんさい。うちゃあ忙しゅうしとるんです。晩の支度が待っとってです。明日の準備も待っとってです。夏休み子どもおはなし会いうて、うちら図書館の館員が十日間、子どもたちにお話をしよるんです。比治山の松林の中の涼しい風の通り道に、毎日、三、四十人もの子どもたちが集まってきてくれとる。どの子もうちらの声や松の梢《こずえ》を渡る風の音が好きなんです。みんなたのしみにしてくれとるけえ、準備はきっちりせにゃあいけんのです。

美津江はザクザクと玉菜《キャベツ》を刻み出す。竹造、その様子を見ていたが、やがてそのへんを片づけながら玄関口の方へ後退して行く。美津江はなおも必死でザクザクザクザク……。ゆっくりと暗くなる。

2

音楽の中から、三十ワットの電球にかぼそく照らし出された八帖《じょう》間が静かに浮かび上がってくる。……縁先に蚊いぶしの煙。

一日たった水曜日の午後八時すぎ。電球の下、文机《ふづくえ》の上で、白ブラウスにモンペの美津江が鉛筆でなにか書いている。

……書き終えた美津江、それを横目でちらちら見ながら、「おはなし」を始める。まだ棒読みに毛の生えた段階で、美津江はときおり訂正の筆を入れたりもする。

美津江　……むかしから、この広島は、「七つの川にまたがる美しい水の都」として知られとりましたが、それら七つの川は郊外の北の方で一本にまとまって太田川《おおたがわ》になります。そのころのおねえさんは、国文科のお友だちと、毎週のように太田川ぞいの村むらへ出かけて、土地に伝わる昔話を聞いて回るのをたのしみにしとりました。ほんまいうと、行った先で出してくれんさるカキの味噌《みそ》雑煮とか、松茸《まつたけ》入りの混ぜ御飯とか、こんにゃくの味噌べったりとか、御馳走《ごっつぉー》をいただく方がずんとたのしみじゃったけえ、熱心に歩き回っとったんでした。こいからお聞かせするんも、そのころ、あるお年寄りから教えてもろうた昔話の一つです。そんときはたしか焼き鮎《あゆ》をいただいたように思いますが。（せき払い一つ）さて、その太田川からちょんびり山ん中に入《い》ったところに、おじいさんとおばあさんが住んどったそうじゃげな。おじいさんは欲ぼけの怠けもん、げえに至らぬ男でちいとも働こうとせんけえ、おばあさんが洗濯やら柴刈《しばか》りやら焼き鮎づくりやら、なんやらかんやら一人でこなして、ようやっと暮しを立てておった。ある日のことじゃ。鮎とりに出かけたおばあさんは、あんまりのどが渇いたけえ、川の水を一口のんだ。ほいたらどうじゃ、顔のしわがいっぺんにのうなって、もう一口のんだら、今度は腰が伸びて、もう一口のんだら、まぶしい《まばいー》ほど見事《みごとい》なええ女子《にょぼ》に若返ってしもうたんじゃ。帰ってきたおばあさんからこの話を聞いたおじいさんは、「なひてばあさんば《ばー》かり若返るんじゃ。わしもおまいに負けんほどのええ若い衆《わけーしゅ》になってみせたるぞ」、そがい叫《おら》んで家から飛び出して行きよったが、それっきり、夜になっても戻ってこん……、

台所でゴロゴロと擂鉢《すりばち》の音がする。ねじり鉢巻の竹造がエプロンを着用、ときどき団扇《うちわ》を摑《つか》んで蚊を打ち払いながら炒《い》り子《こ》を擂ってい

る。

美津江　……おとったん？

竹造　よォ、まいにち暑いことじゃ。

美津江　居《お》っとったですか。

竹造　そりゃ居るわい。丸一日ぶりじゃのう。

美津江　そのゴロゴロ、なんとかならんですか。えっと気になって練習にもならんですけえ。（台所にきて電灯を点《つ》ける）なにしょうるんの？

竹造　じゃこ味噌にきまっとるがのう。見んさいや、炒り子がええ塩梅《あんばい》に摺り上がっとろうが。

美津江　うちがじゃこ味噌つくろう思うとんのを、どうして知っとったですか？

竹造　そのへんに炒り子と味噌がおいてあったっけえ、それぐらいの見当はつくわい《っかー》。

美津江　……。

竹造　さあ、ここへひしお味噌を入れる。

かたわらの丼《どんぶり》の味噌を摺鉢に放り込み、なおも摺る。

竹造　ほいで細かく《こまこーに》ちぎった赤とんがらしを加える。（美津江に）とんがらし、とんがらし。

美津江、そばの小皿から刻んだ唐辛子を摘まんで摺鉢に入れる。竹造、みごとに摺り上げて、

竹造　福吉屋旅館名物のじゃこ味噌、一丁上がり。

美津江　（なめてみる）うん、ええとこ行っとる。

竹造　おとったんの腕はまだ落ちとらんじゃろうが。ほいで、いまのはなしのつづきはどげえなん？　欲ぼけじいさんはどがいなったいうんじゃ？

美津江　（頷《うなず》いて）おじいさんが夜になっても戻ってこんけえ、心配になったおばあさんが提灯《ちょうちん》さげて迎えに行くと、……川岸で、欲の深そうな顔をした赤ん坊がオギャーオギャー泣いとったそうじゃげな。

竹造　そいじゃ、いまの子によう受けん。品《まー》がよすぎるけえ。

美津江　むりに受けようとせんでもええの。

竹造　じゃけんど、ちいっとでもおもしろい方がええに決まっとるけえ。そうじゃ、こがいに変えたらええ。（語る）おじいさんは夜になっても戻ってこん。それっきりじゃ。心配になったおばあさんが提灯さげて迎えに行くと、……川岸にはおじいさんの入れ歯が転がっとるだけじゃった。

美津江　……。

竹造　(受けないので意外) 欲たかりじいさんじゃけえ、若返りの水を飲みすぎよったんじゃ。ほいで赤ん坊を通りこしてのうなってしもた……。

美津江　それぐらい、うちにもわかっとる。

竹造　おまいのオチよりゃあ笑える思うがのう。

美津江　(叫ぶ) 話をいじっちゃいけんて！　前の世代が語ってくれた話をあとの世代にそっくりそのまま忠実に伝える、これがうちら広島女専の昔話研究会のやり方なんじゃけえ。

竹造　六年前に県の視学官から大目玉をくろうた会じゃないか。いまは戦時じゃ、非常時じゃ、昔話の研究がなんの役に立つんじゃ、そんな暇があったら工場ではたらけいわれて、たしか昭和十七年の末までには解散したはずじゃが。

美津江　じゃが、研究会の根本精神はいまもうちの身体《ごたい》に生きとってです。

竹造　……今日の昼休みも、いまと同じことをいうて木下さんと口争いしとったな。

美津江　口争いじゃない《なー》、あれは議論です。

竹造　じゃけんど、比治山の松林は涼しいけえ昼寝に一番《ずんど》ええ、そがい思うてきとった人らが、おまいがあげよった大声に魂消《たまげ》て起き上がっとったぞ。

美津江　議論しとっただけじゃいうとんのに。

　美津江、八帖に戻って原稿の暗唱につとめる。竹造はじゃこ味噌を二つの容器（蓋《ふた》つきの瀬戸物）に分けて詰めているが、

竹造　木下さんがピカに興味を持たれた始まりは原爆瓦《かわら》じゃいうのう。

美津江　……そがあいうとられたね。

竹　造　あの年、八月の末、郷里の岩手へひとまず引き揚げることになって呉から広島に出てこられた木下さんは、列車の時間まで焼け野原をあちこち歩き回っとられた。お昼になったけえ、大手町の、お不動さんがあったあたりに腰《こしゅー》をおろして弁当をひろげたが、そんときじゃいうのう、海軍将校用の上等なズボンを通してお尻《しり》にチクチクいう痛みがきよったのは……。

美津江　腰を下ろしたところに原爆瓦があったそうな。

竹　造　見ると、瓦にはびっしり棘《とげ》のようなもんが立っとる。そいも一本のこらず同じ方向に突き出しとる。こいは瞬間的な熱、そいも信じられんほど高い熱で一瞬のうちに表面《おもて》が溶けてできたもんにちがいない《なー》。……なんちゅう爆弾か。この爆弾のことをよう知らにゃいけん。この高熱の中でいったいなにが起こったんか、そいをもっとよう知らにゃいけん。木下さんはそがいに思うて、道みち原爆瓦を拾い拾い駅へ向こうたいう。

美津江　そがいにもいうとられたね。

竹造　おまいはそのときの原爆瓦のうちの一つを預かってきとったはずじゃが。

美津江、本棚のてっぺんから風呂敷《ふろしき》包みを下ろす。

美津江　預かったわけじゃない《なー》、木下さんがうちにむりやり押しつけて去《い》ってしもうたんです。

竹造、受け取って卓袱台《ちゃぶだい》の上でほどく。中に紙製の平たい菓子箱。竹造、その蓋をとって凝然。菓子箱の内容は、原爆瓦（五センチ四方）、ぐにゃぐにゃの薬瓶、そしてガラスの破片が数片。

美津江　（代わりに取り出すが、たいへんな抵抗がある）被爆者の身体《からだ》から出たガラスのかけら。

竹造　……むごいことよの。

美津江　原爆瓦。

竹造　……とげとげしいことよの。

美津江　熱で曲がってもうた水薬の瓶。

竹造　……おとろしいことよの。

美津江　木下さんとこには、これとおんなじに奇体に曲がったビール瓶じゃの、ホルンのように丸うなってしもうた一升瓶じゃのが、何十本もあるいうがの。他にも、熱で表面が溶けて泡立っとる石灯籠《どーろ》、針の影が文字盤に焼きついとる大時計……。そいじゃけえ、入ってまだひと月にもならんのに木下さんは、下宿から追い出されかかっとるんじゃげな。

竹造　ほんまかいの？

美津江　（頷いて）資料抱えて帰るたんびに、下宿のおかみさんが、「そんな《そがー》もん持ち込んで気味《きび》が悪い《わりー》」いうてこぼす。「いまにきっと床が抜けよるけえ、もっと下宿料いただかにゃ、とても《なんぼにも》やれん」いうて、ぎょうさん嫌味《いやみゅう》をたれる。原爆瓦を石油箱で一つ持ち込んだ一昨日《おとつい》の夕食《ばん》なんかえっぽどひどかったいう。お茶碗《おやわん》の御飯《まんま》の盛りが少のうなっとる、お汁《おつい》の実もへっとる。

竹造　薄情な話よのう。

美津江　ほいじゃけえ、木下さんは今日、うちにこがい訊《き》いとってじゃった。「むりを承知でお願いします。原爆資料を図書館で保存してもらうわけにはいきませんか」

竹造　やっぱあ、むりかいのう。

美津江　（大きく頷く）マッカーサーが「うん」いうたら話は別じゃけえどね。その場でことわるのも気の毒じゃけえ、一日考えさしてくれんさい、いうといた。じゃけえ、明日も昼休みに会わにゃいけん。ほんま手のかかる利用者もおっとってじゃ。

竹造　ハンカチ貸しんさいや。

美津江　へえ？　……へえ。

竹造、じゃこ味噌入りの容器を美津江から受け取ったハンカチで包みながら、

竹造　じゃこ味噌、木下さんの分、ちゃんといれものに入れといたけえ、明日、持ってってあげんさい。

美津江　おとったんたら、もう……。

竹造　男ちゅうもんはなぜか《なんで》女子《おなご》のハンカチに弱い。

美津江　おせっかいやき。異な気《いなげ》なふうに気を回しちゃいけんいうとんのに。

竹造　せえなら主任さんに上げてもええんじゃけえ。

美津江　主任さんのおかみさんはごっつやきもちやきじゃけん、誤解されたらかなわんけえ。

竹造　せえならやっぱあ木下さんにあげりゃええ。

美津江、ぷんぷんしながら文机《ふづくえ》において、

美津江　こがあなことは《こたー》二度とせんでちょんだいよ。

竹造　それより木下さんとの議論、なにがもとじゃったか思い出してみんか。

美津江　……おしまいに木下さんがこげえいうとってでした。「あなたの被爆体験を子どもたちに伝えるためにも、ぼくの原爆資料を使《つこ》うて、なんかええおはなしがつくれないものでしょうか」

竹造　木下さんちゅう人間《にんげ》は知恵者《しゃ》じゃのう。

美津江　できん、そげえいうときました。話をいじっちゃいけんちゅうのが、うちらの根本精神ですけえ。

竹造　またそれかいの。そりゃ自分らで集めた話じゃけえ、こだわるのもわからんことはない《なー》が……。

美津江　それでも、木下さんがうちにこの資料を押しつけんさるだけ《だき》で、ちいとも折れてくださらんけえ、できんことは《こたー》できませんいうて、つい大《かー》声を上げてしもうたんです。ま、こんなところかいな……。

竹造　待ちんさい。いま、なにかひらめきよった。

美津江　あ、それ、おとったんの十八番《おはこ》、あてにならんことの代名詞。ひらめくたんびに新しい商売じゃの、女子衆《おなごしゅ》なんかに手を《てょう》出して、おじったんの遺《のこ》した身上《しんしょう》、小さな旅館のほかはなんもかも……、

竹造　たとえ身上をふやしとっても、結句はピカで全部、灰にされとったわい。いうたら先見の明があったんじゃ。

美津江　そがあなこというたら、一所懸命、はたらいとられた方に無礼じゃけえ、ほんまに。

竹造　わかっとる。じゃがええか、おまいらの集めた話をしようとするけえ、おっどれすっどれの口喧嘩《げんか》になるんじゃ。だれもが知っとる話、そいに原爆資料を入れ込んではどうじゃ。ほいたら木下さんがよろこびんさるわい。

美津江　夏休みおはなし会は子どもたちのためのものです。

竹造　わかっとる。じゃがええか、桃太郎さんでもええ、さるかに合戦でも一寸法師でもええ、よう知られとる話の中に、おまい、原爆資料をくるみ込んでみい。

美津江　どげえに？

竹造　そいは本職のおまいが考えることよ。

美津江　だいたい占領軍の目がそこら中でぴかぴか光っとんのよ。おとったんは占領軍の権力《ちから》を知らんけえ、そげえなのんき坊主《ぼうず》いうとられるんよ。

竹造　（ひらめく）またきよった……。

美津江　うちゃあ、おはなしを覚えにゃいけんの。もう居《お》ってもらわんでもええですけえ、また来てちょんだいの。

竹造　（かえって堂々として）そいじゃが。おまいがしよるんはおはなしじゃけえ、言うそばから風がおまいのことばを四方八方へ散らばしてくれる。よい子たちのこころの中を通り抜けたおまいのことばは風にのって空へのぼり虹《にじ》になる。証拠はのこらん。比治山を吹きぬける広島の風がおまいの味方なんじゃ。

言いながら竹造はエプロンの、下に二つ、上に一つあるポケットに木下青年の原爆資料を入れる。

竹造　参考になるものやらならんものやらよう分からんが、聞いてつかあさい。（おはなしが始まる）一寸法師……、お椀《おやわん》の舟で京の都へ上ったあの一寸法師のことはみんなもよう知っとってじゃの。お姫様を救おうと赤鬼の口の中へ躍り込み、縫い針の刀でお腹《どんばら》の中《なか》をチクチク刺し回って、とうとう鬼めを降参させてしもうた。強い《つえー》のう。たしかに強い《つえー》。じゃけんど、ヒロシマの一寸法師はもっと、えっと、ごつう強いんじゃ。

美津江　……ヒロシマの一寸法師？

竹造　（大きく頷《うなず》いて）「福吉美津江エプロン劇場」のはじまり！

美津江　エプロン劇場……。

竹造　（また頷いて）エプロンのポケットをいい具合《えーがい》に使うて話をしっかり盛

り上げるわけじゃ。さて、赤鬼のお腹《どんばらん》の中へ飛び込むまではおんなじじゃが、その先は大けにちがうぞ。（おはなしに戻る）赤鬼のお腹《どんばらん》の中に飛び込んだヒロシマの一寸法師は、（エプロンの右下のポケットから原爆瓦《かわら》を出して高く掲げ）この原爆瓦を鬼めの下っ腹に押しつけて、『やい、鬼。おんどれの耳くそだらけの耳の穴かっぽじってよう聞かんかい。わしが持っとるんはヒロシマの原爆瓦じゃ。あの日、あの朝、広島の上空五百八十メートルのところで原子爆弾ちゅうもんが爆発しよったのは知っちょろうが。爆発から一秒あとの火の玉の温度は摂氏一万二千度じゃ。やい、一万二千度ちゅうのがどげえ温度か分かっとんのか。あの太陽の表面温度が六千度じゃけえ、あのとき、ヒロシマの上空五百八十メートルのところに、太陽が、ペカーッ、ペカーッ、二つ浮いとったわけじゃ。頭のすぐ上に太陽が二つ、一秒から二秒のあいだ並んで出よったけえ、地面の上のものは人間《にんげ》も鳥も虫も魚も建物も石灯籠《どーろ》も、一瞬のうちに溶けてしもうた。根こそぎ火泡を吹いて溶けてしもうた。屋根の瓦も溶けてしもうた。しかもそこへ爆風が来よった。秒速三百五十メートル、音より速い爆風。溶けとった瓦はその爆風に吹きつけられていっせいに毛羽立って、そのあと冷えたけえ、こげえ霜柱のような棘《とげ》がギザギザギザギザと立ちよった。瓦はいまや大根《だいこ》の下ろし金、いや、生け花道具の剣山。このおっとろしいギザギザで、おんどりゃ肝臓を根こそぎ摺《す》り下ろしたるわい。ゴシゴシゴシ、ゴシゴシゴシ……』

痛《いと》うて痛うて赤鬼は、顔の色を青うしてからにそのへんを転げ回ってのた打った。

怯《おび》えている美津江。

竹造、左下のポケットから薬瓶を出して掲げ、

すぐさま、ヒロシマの一寸法師は熱で溶けてぐにゃりと曲がった薬瓶を取り出し、
『やい、鬼。こんどはこの原爆薬瓶で、おんどりゃ尻の穴に、内側から栓をしてやるわい。ふん詰まりでくたばってしまやあええ』

竹造、上のポケットからガラスの破片を出して掲げ、

『……やい、鬼。これは人間の身体《からだ》に突き刺さっとったガラスの破片ぞ。あの爆風がヒロシマ中のありとあらゆる窓ガラスを木っ端微塵《こっぱみじん》に吹ッ飛ばし、人間の身体を、（涙声になっている）針ネズミのようにしくさったんじゃ……』

美津江　（いつの間にか左の二の腕を押さえている）やめて！

竹造　『このおっとろしいガラスのナイフで、おんどりゃ大腸や小腸や盲腸を、千六本にちょちょ切っちゃるわい』……。

美津江　もうええですが！

竹造　……非道《どえりゃー》いものを落としおったもんよのう。人間《にんげ》が、おんなじ人間《にんげ》の上に、お日《ひー》さんを二つも並べくさってのう。

擂鉢などを片づけながら、

竹造　原爆資料を話の中に折り込むいうんは、それがどげな話であれ、広島の人間には《にゃー》、やっぱあ辛《つら》いことかもしれん。これはよう覚えちょかにゃなりませんのう。木下さんにおまいを気に入ってもらおう思うてやったことじゃが、悪《わりー》いことをした。わしのひらめきちゅうやつはどう《あー》もいけん。

片づけものを持って台所の奥深くへ消えながら、

竹造　木下さんに上げるお土産、明日はじゃこ味噌《みそ》だけで我慢してちょんだいや。

美津江　いろいろ気を使うてくれんさってありがとありました。（ト見るがいない）……おとったん？　おとったん……。

ゆっくりと暗くなる。

3

音楽の中で雨が降っている。

明るくなると前場の翌日、木曜日の正午すぎ。天井から雨が漏っており、その雨粒を茶の間に五つ六つ、八帖《じょう》間に六つ七つと置いてある丼《どんぶり》や茶碗《ちゃわん》が正確に受け止めている。

茶の間の下手ぎわに、大鍋《おおなべ》と飯炊《めした》き釜《がま》を足もとに置き、片手に小鍋を下げた竹造が立ち、試験場の監督官のような目つきで二つの部屋の雨漏りを見張っている。

……と、茶の間と八帖の境目に新しい雨漏りを発見。竹造、童唄《わらべうた》の

ようなもので囃《はや》しながら丼や茶碗の間を石蹴《いしけ》り式に巧みに縫って行ってそこへ小鍋を置き、

竹造　ゆうべの雨《あみやー》は、りはつな雨じゃ。夜中に降って、朝には止《や》んだ。

と元の位置に戻る。もっともすぐ、遠方の八帖の文机《ふづくえ》の上に新たに雨が漏っているのを見つけ、飯炊き釜を抱えて出動する。

竹造　いま降る雨は、あんぽんたんな雨じゃ。朝から降りよって、昼になっても止まん。

文机をずらして飯炊き釜を置くが、こんどは文机の新しい置場所に迷う。そこでひとまず文机を持って、

竹造　雨、雨、止まんかい、おまいのとったんごくどうもん、おまいのおかやんぶしょうもん。

元の位置まで戻ってくる。置場所を探しているうちに、文机の上の便箋《びんせん》と封筒に目が行く。文机をその場に置き、その前に坐《すわ》って封筒の宛名《あてな》を読む。

竹造　「広島市外府中町《ふちゅうちょう》鹿籠《こごもり》二丁目……、滝沢様方、木下正様、みもとに」。みもとに……？

ばかににっこりする。つぎに便箋を読む。

竹造　（ところどころ声に出す）「前略。いつも市立図書館をご利用くださいましてありがとうございます。……お目にかからせていただいているときはいつも忙しくしており、……（頭の上に雨粒。大鍋を頭に載せて防ぎながら）これは大切なことですのでお手紙で、……お集めになっている原爆資料……、もしも私のところでよろしければ……、一人住まいですので置場所は……、多少、雨漏りはいたしますが……、このところきびしい暑さが……、おからだくれぐれも……。かしこ」

美津江が帰ってくる。玄関口で唐傘の雨を払っているのへ、

竹造　もうお帰りか《はーもどったんか》。

美津江　……あ、おとったん。

竹造　おお、いさせてもろうとるよ。お昼になったばっかりじゃいうのに、どうしたいうんじゃ。

美津江　この雨で、おはなし会が流れてしもうた。

竹造　（頷《うなず》いて）どうせなら夜中のうちに降りゃええのにのう。子どもたちがかわいそうでやれん。……忘れ物か。

美津江　……早引けです。

竹造　どっか悪《わり》ーいんか。（愕然《がくぜん》として）まさか、吐き気がするいうんじゃあるまいな。へてから、立ちくらみ、耳鳴り、腹つかえ、下り腹。……まだ原爆病が出よるんか？

美津江　このごろは出《でや》ーはせん。

竹造　それならええが……。

美津江　あいかわらずシクシクしとるんは（左の二の腕を軽く押さえて）ここぐ《ぐ》らい《りゃー》なもん。

竹造　それなら安心じゃ。（元気づけて）あの根性悪《こんじょわる》の外道者《げどーもん》もえんやっと退散したのかもしれんのう。

美津江　そう思わせて安心させといて、いきなりだまし討ちにくるけえ、死ぬまで気は許せんけえど。
竹造　うーん、面倒なものを背負《しょ》うてしもうたものよのう。……あれ？

縁先に出て空模様を見る。

竹造　やったあ。ようやらやっと雨が上がってくれよった。これ以上降ると、置くものがのうなってしまうとこじゃったんじゃ。まさかここへ風呂《こけーふろ》桶《おけ》を運び込むわけにも行かんけえのう。

雨漏りが止んだあたりの丼や茶碗を五つ六つ片づけて卓袱台《ちゃぶだい》を組み立てて置き、坐る場所をつくってやる。

竹造　ほいで、いい具合《えーがい》に行ったかいのう。

美津江　いい具合……？

竹造　じゃこ味噌《みそ》のことじゃが。木下さん、よろこんでくれんさったか。

美津江　ああ、じゃこ味噌ねえ……。

竹造　これはぼくの大好物でありまして、そがあいうとられはせんかったか。

美津江　まだ渡しとらんけえ……、

木口の買物袋から例のハンカチ包みを出して、卓袱台の上に置く。

美津江　ここにある。

竹造　どうしてここにあるんじゃ。

美津江　比治山へは行かなんだ。

竹造　どうして。

美津江　雨が降っとったし……、
竹造　傘《かさー》を持っとろうが。
美津江　道が緩《じゅるー》くなっとるけえ、こけるかもしれんし、
竹造　下駄には歯ちゅうもんがあるど。
美津江　なによりも……、
竹造　なんじゃちゅうんじゃ。
美津江　木下さんと会《お》うちゃいけん思うて……。
竹造　またそれかいの。おんなじことばっかしいいよったら、しまいにゃ人に笑われるど。
美津江　ほいで、作業室で本の修理しとった……。
竹造　いまからでも間に合うんとちがうんか。
美津江　そのうちに、木下さんが比治山の方から図書館へ向かって歩いて来《き》んさるんが見えた。会うちゃいけん思うて、早引けさせてもろうてきた

竹造　……。

（ぶるぶる震えている）昔じゃったらここでゴツンと一発ぶしゃあげるところじゃがのう！

美津江　おとったん、これでええん。うち、人を好いたりしてはいけんのです。

竹造　むりをしよると、あとでめげるど。

美津江　ええいうたらええんじゃ。じゃけえ、もうほっといてくれんさいや。

美津江、そのへんを片づけ始める。

竹造　応援団長をなめちゃいけんど。顔色《いろめ》変えてどうしたん？

美津江　すっぺーこっぺーごまかしいうちゃいけんで。おまい、どこまでも木下さんを好いちゃおらんいい張るつもりか。

竹造

美津江　じゃけえ、それは……、

竹造　聞くだけ野暮ちゅうもんじゃな。(文机の封筒と便箋を指して)「みもとに」。この脇付《わきづ》けにおまいの気持がはっきり出とるじゃないか。

美津江　(一瞬、動揺するが) 女性ならだれでもそげえ書きよってじゃ。

竹造　「一人住まいですので置場所はございます……」、ただの利用者にあてこげえなことが書けるか。

美津江　それ、いたずら書き。捨てよう思うとったんよ。返してちょんだいの。

竹造　いらんもんなら、わしが捨てちゃるわい。

美津江　おとったんたら……。

竹造、封筒と便箋をズボンのポケットに収めて、

竹造　どうして人を好いちゃいけんいうんじゃ。たしかにおまいは人がたま

げてのけぞるような美人じゃない《なー》。そいの半分はわしの責任でもある。じゃけんど、よう見りゃ愛敬《あいきょう》のあるええ顔立ちをしとるけえ、そいはわしの手柄じゃ。

美津江　なにいうとるんね。

竹造　つずまり、木下さんがそれでええいうてくれんさっとるんじゃけえ、その顔でええんじゃないか。

美津江　そういうことじゃない《なー》いうとるでしょう。

竹造　……もしかしたら原爆病か。あいつがいつ出てくるかもしれんけえ、そいで人を好いちゃいけん思うとるんじゃな。

美津江　(頷いてから) じゃが、木下さんが、そのときは命がけで看病してあげるいうてくれちゃったです。

竹造　なんな、ずいぶん話は進んどるんじゃないか。(ひらめいて) そうか、生まれてくるねんねんのことが心配なんじゃな。たしかに原爆病はねんねんにも引き継がれることがあるいうけえ、やれんのう。
美津江　(頷いてから) そのときは天命じゃ思うて一所懸命、育てよう……、
竹造　そいも木下さんのお言葉かいの。
美津江　遠回しにじゃけど、そがあいうとられとってでした。
竹造　遠回しであれ近回しであれ、そこまで話し合えるちゅうことは……、もう、わしゃ知らんが。
美津江　そいじゃけえ、いっそう木下さんと会《お》うちゃいけんのです。
竹造　ほんじゃなにか、うまいこと行きゃあうまいこと行くほどうまいこと行かんちゅうんか。
美津江　あ、それはいえとる。
竹造　たいがいにしとかんと、わしでもほんまに怒るで。話が一昨々日《さきおとつい》と明々後日《しあさって》とあべこべの方角を向きよって、ついでにでんぐり返りやらさかとんぼやら打っとるけえ、なにがなにやらようわからん。

美津江　（これまでにないような改まった声で）ここへ坐《すわ》ってくれんさいや。

竹造　……はい。

竹造、思わず美津江の前に坐ってしまう。

美津江　うちよりもっとえっとしあわせになってええ人たちがぎょうさんおってでした。そいじゃけえ、その人たちを押しのけて、うちがしあわせになるいうわけには行かんのです。うちがしあわせになっては、そがあな人たちに申し訳が立たんのですけえ。

竹造　そがあな人たちいうんは、どがあな人たちのことじゃ。

美津江　たとえば、福村昭子さんのような人……。

竹造　福村……、ちゅうとあの？

美津江　（頷いて）県立一女から女専までずうっといっしょ。昭子さんが福村、

竹造　うちが福吉、名字のあたまがおんなじ福じゃけえ、八年間通して席もいっしょ、陸上競技部もいっしょ。じゃけえ、うちらのことを二人まとめて「二福《ふたふく》」いう人もおったぐらいでした。

美津江　二人じゃけえかったんじゃ。もう一人二人、福の字のつくんがおってみい、まとめて「お多福」いわれとったかもしれんけえな。

竹造　(耐えて)……女専で昔話研究会をつくったんもいっしょ。昭子さんが会長で、うちが副会長でした。はなしをいじっちゃいけんちゅう根本方針も二人で話し合《お》うて決めたことじゃったですけえ。

美津江　ほいであよに頑張っとったんか。

竹造　ほうじゃが。

美津江　成績もしじゅう競《せ》っとったけえのう。

(首を横に振る)駆けっこならとにかく、勉強では一度も昭子さんを抜いたことがのうて、うちはいっつも二番。これはたぶん、おとったんのせいじゃ。

竹造　……いきなりいびっちゃいけない《めん》。

美津江　なによりもきれいかったです、一女小町、女専小町いうて囃《はや》されてね。

竹造　あの娘《こ》のおかやんの方がきれいかったんとちがうか。裁縫塾をしとってで、おまけに未亡人で、あの人の前へ出ると、なんでかしらん、よう口が利《き》けんのじゃ。

美津江　ほいで手紙を書いとったんやね、お米や鮭《さけ》缶や牛缶つきの。「この春こそはごいっしょに比治山の夜桜を見たい思うとります福吉屋の竹造より。福村静枝様まいる」……。

竹造　どうしてそうようなこと知っとるんじゃ。

美津江　昭子さんが見せてくれたんです、「まいる、いう脇付けはすこしおかしいんとちがう」いうてね。

竹造　……おかしいですか。

美津江　「まいる」は女性が使う脇付けじゃけえね。

竹造　そんなもんを公開しちゃいけんがな。見かけによらず人の悪い後家さまじゃ。

美津江　うちには実のおかやんのようにやさしゅうしてくれんさったわ。

竹造　そいじゃけえ、おまいのほんまのおかやんになってくれたらよかったいうとるんじゃ。福村から福吉へ一字変えればすむことじゃけえのう。

美津江　（耐えて、改まって）昭子さんこそしあわせにならにゃいけん人じゃったんです。

竹造　じゃけえ、どうしてか訊《き》いとるんじゃ。

美津江　うちより美しゅうて、うちより勉強ができて、うちより人望があって、ほいでうちを、ピカから救うてくれんさった。

竹造　……ピカから、おまいを？

美津江　（大きく頷《うなず》いて）うちがこよに生きておれるんは、昭子さんのおかげじやけえの。

竹造　突飛をいいよる。あんとき、うちの庭にはわしとおまいの二人しかおらんかったはずじゃ。どこに昭子さんがおったいうんかいね。

美津江　手紙でうちを救うてくれんさったんよ。

竹造　手紙で……？

美津江　あのころ昭子さんは県立二女の先生。三年、四年の生徒さんを連れて岡山水島の飛行機工場へ行っとられたんです。前の日、その昭子さんから手紙をもろうたけえ、うれしゅうてならん、徹夜で返事を書きました。ほいで、あの朝、図書館へ行く途中で投函《とうかん》しよう思うて、うち、こよに厚い手紙を持って庭を裏木戸の方へ歩いとった……。

竹造　わしはたしか縁先におった。一升瓶につめた玄米を棒で突いて白くしとったんじゃが、石灯籠《どーろ》のそばを歩いとったおまいを見て、「気《きー》をつけて行きいよ」……。

美津江　（頷いて）その声に振り返って手をふった。そんときじゃ、うちの屋根の向こうにB29と、そいからなんかキラキラ光るもんが見えよったんは。「おとったん、ビーがなんか落としよったが」

竹造　「空襲警報が出とらんのに異な気《いなげ》なことじゃ」、そがあいうてわしは庭へ下りた。

美津江　「なに落としよったんじゃろう、また謀略ビラかいね」……。見とるうちに手もとが留守になって石灯籠の下に手紙《てがみゅー》を落としてしもうた。「いけん……」、拾おう思うてちょごんだ。そのとき、いきなり世間《しょけん》全体が青白うなった。

竹造　わしは正面から見てしもうた、お日《ひー》さん二つ分の火の玉をの。

美津江　……（かわいそうな）おとったん。

竹造　真ん中はまぶしい《まばいー》ほどの白でのう、周りが黄色と赤を混ぜたような気《き》味の悪い《びがわりー》色の大けな輪じゃった……。

少しの間《ま》。

竹造　(促して) ほいで。

美津江　その火の玉の熱線からうちを、石灯籠が、庇《かぼ》うてくれとったんです。

竹造　(感動して) あの石灯籠がのう。ふーん、値の高いだけのことはあったわい。

美津江　昭子さんから手紙をもろうとらんかったら、石灯籠の根方《ねかた》にちょごむこともなかった思います。そいじゃけえ、昭子さんがうちを救うてくれたいうとったんです……。

いきなり美津江が顔を覆《おお》う。

竹造　……どうしたんじゃ？

美津江　昭子さんは、あの朝、下り一番列車で、水島から、ひょっこり帰ってきとってでした。

竹造　（ほとんど絶句）なんな……。

美津江　夜の補習のために、謄写版《とうしゃばん》道具一揃《ひとそろ》いと藁半紙《わらばんし》千枚、そよなものがひょっこり要るようになって、学校へ受け取りに来られたんです。

竹造　ほいで、どうした？　まさか……。

美津江　西観音町《にしかんおんまち》のおかあさんとこで一休みして、八時ちょっきりに学校へ出かけた。……ピカを浴びたんは、千田町《せんだまち》の赤十字社支部のあたりじゃったそうです。

竹造　（唸《うな》る）うーん。

美津江　昭子さんをおかあさんが探し当てたのが丸一日あとでした。けんど、そのときにはもう赤十字社の裏玄関の土間に並べられとった……。

竹造　なんちゅう、まあ、運のない娘《なー》じゃのう。

美津江　(頷きながらしゃくり上げ) モンペのうしろがすっぽり焼け抜けとったそうじゃ、お尻《しり》が丸う現れとったそうじゃ、少しの便が干からびてついとったそうじゃ……。

少しの間。

竹造　もうええが。人なみにしあわせを求めちゃいけんいうおまいの気持が、ちいと《ちいたー》は分かったような気がするけえ。

美津江　……。

竹造　じゃがのう、こうよな考え方もあるで。昭子さんの分までしあわせにならにゃいけんいう考え方が……。

美津江　(さえぎって叫ぶ) そよなこと《こたー》はできん!

竹造　なひてできん？

美津江　昭子さんのおかあさんとの、……約束があるけえ。

竹造　約束……？

美津江　(頷いて)約束のようなもの……。

竹造　どうよな約束いうんじゃ？

美津江　……昭子さんのおかあさんに会《お》うたんは、ピカの三日あと、八月九日の午後遅くのことじゃった。……ピカの日に、うち、広島から宮島へ逃げて、九日の朝まで、堀内先生のうちで厄介かけとったけえ。

竹造　堀内先生？　どっかで聞いたような……。

美津江　女学校のときの生花の先生じゃ。

竹造　おお、あの年寄り先生か。

美津江　(頷く)……。

竹造　ええ先生がおられて、えかったのう。

美津江　先生にはげまされて、朝、宮島をたって、魚を焼くような臭《にお》いのたちこめる中を、昼ごろ、うちに着いた。

竹造　（いたわるように）きれいに焼けとったろう。

美津江　泣き泣きおとったんのお骨を拾いました。

竹造　……ほうじゃったな。いや、ありがとありました。

美津江　そいから西観音町の昭子さんところへ行ったんじゃが、あそこいら《あこいら》もすっぱり焼けとって、うちが訪ねたときは、おかあさんは防空壕《ごう》の中で寝ておいでじゃった。背中に非常に大き《じょうにいかい》な火ぶくれを背負っておいでで、腹ばいになってげっしゃりなさっとった……。

竹造　むごいことよの。

美津江　おかあさんはうちの顔を見てごつうによろこんで、ぶらあ起き上がると、うちを力いっぱい抱きしめて、よう来てくれたいうてくれんさった。ところが、昭子さんのことを話してくださっとるうちに、いきなりおかあさんの顔色が変わって、うちを睨《にら》みつけて（言えなくなる）……。

竹造　どうなさったたんいうんじゃ。

美津江　「なひてあんたが生きとるん」

竹造　……！

美津江　「うちの子じゃのうて、あんたが生きとるんはなんでですか」

少しの間。

美津江　そのおかあさんも月末には亡《の》うなってしまわれたけえど……。

竹造　つまらん気休めいうようじゃが、昭子さんのおかやんは、そんとき、ちいーっと気が迷うて、そよなことを……、

美津江　（はげしく首を横に振って）うちが生きのこったたんが不自然なんじゃ。

竹造　なにいうとるんじゃ……。

美津江　うち、生きとるんが申しわけのうてならん。

竹造　そよなこと口が裂けても口にすなや。

美津江　聞いてちょんだいの！

竹造　聞きとうないわい。

美津江　(構わずつづける) うちの友だちはあらかたおらんようになってしもうたんです。防火用水槽に直立したまま亡うなった野口さん。くちべろが真っ黒にふくれ出てちょうど茄子《なすび》でもくわえているような格好で歩いとられたいう山本さん。卒業してじきに結婚した加藤さんはねんねんにお乳を含ませたまま息絶えた。加藤さんの乳房に顔を押しつけて泣いとったねんねんも、そのうちにこの世のことはなにも知らずあの世へ去《い》ってもうた。中央電話局に入った乙羽さんは、ピカに打たれて動けんようになってもうた後輩二人を両腕に抱いて、「私らはここを離れまいね」いうて励ましながら亡《の》うなったそうです。あれから三年たつのにまだ帰っとらん友だちもおってです。ほいて、おとったんもおる……！

竹造　わしとおまいのことなら、もうむかしに話がついとる。よう考えてみいや。

美津江　いんねの。あんときの広島では死ぬるんが自然で、生きのこるんが不自然なことやったんじゃ。そいじゃけえ、うちが生きとるんはおかしい。

竹造　死んだ者はそうよには考えとらん。現にこのわしにしても、なんもかもちゃんと納得しとるけえ。

美津江　（さえぎって）うちゃあ生きとんのが申し訳のうてならん。じゃけんど死ぬ勇気もない《なー》です。

また、雨が降りだす。

美津江　そいじゃけえ、できるだけ静かに生きて、その機会がきたら、世間からはよう姿を消《きゃ》そう思うとります。おとったん、この三年は困難の三年じゃったです。なんとか生きてきたことだけでもほめてやってちょんだい。

美津江が立って、玄関口へ行こうとする。

竹造　どこ《どけー》へ行くん？

美津江　本の修理をしのこしたままじゃけえ、やっぱあ図書館へ戻る。木下さんはもうおらん思う。

竹造　待ちんさい。

ズボンのポケットから封筒と便箋《びんせん》を出して、美津江に突きつける。

竹造　これは投函《とうかん》しときんさいや。

美津江　……！

竹造　速達で。

美津江　そげえ無茶な……。

竹造　こりゃァおとったんの命令じゃ。

竹造から押しつけられた封筒と便箋を手に震えている美津江。

竹造は雨漏りを見つけて、またも丼《どんぶり》や茶碗《ちゃわん》を置いて行く。

竹造　雨、雨、止《や》まんかい、おまいのとったんごくどうもん、おまいのおか

やんぶしょうもん……、

雨がはげしくなり、それにつれて暗くなって行く。

4

音楽がおわるとすぐにオート三輪のエンジンの音がおこり、それにつれて明るくなると、前場の翌日、金曜日の午後六時。

茶の間の卓袱台《ちゃぶだい》に、木下青年とオート三輪の運転手が飲んだ湯呑《ゆのみ》茶碗が載っている。

八帖《じょう》間から庭先にかけて、いましがた木下青年が持ち込んだ原爆資料でいっぱい。

新聞紙を敷きつめた八帖間に、溶解して首の曲がったビール瓶のケース、同じような五合瓶や一升瓶が五、六本、高熱で奇妙に歪《ゆが》んだ一升徳利、八時十五分を指したまま止まっている直径三十センチの丸時計、片側が焼けた花嫁人形などが置かれ、上手の壁ぎわに、茶箱や蜜柑《みかん》箱なども積み上げられている。

庭の上手に、石灯籠《どうろう》の上部が三つ。そしてそれに混じって、沢庵《たくあん》石ぐらいの大きさの、顔面が溶解した地蔵の首。

エンジンをふかしていたオート三輪が、やがてのんびりと走り去ると、玄関口から、笑顔をのこした美津江が入ってくる。湯呑を台所へ下げ、布巾《ふきん》を持ってきて卓袱《ふ》台を拭き始めるが、ふと、地蔵の首に目が行き、たちまち笑顔が凍りつく。

……やがて、こわごわ縁先へにじり出て地蔵を見ているが、さらに裸足《はだし》のまま庭に下りて地蔵の首を自分の方へ向ける。思わず悲鳴に似た声。

美津江　……あんときの、おとったんじゃ！

それに応《こた》えるかのように、下手から火吹竹で肩を叩《たた》きながら竹造が入ってきて、

竹　造　なんか用か、九日十日？

美津江、地蔵の首と竹造の顔を見比べていっそう硬くなるが、とっさに地蔵の首をあさっての方へ向けて、

美津江　居《お》っとられたんですか。

竹　造　（頷《うなず》いて）古い洒落《しゃれ》はやっぱあ受けんのう。ほいで、木下さんは、もう一回、原爆資料を運んでくるいうとられたようじゃのう。

美津江　これでちょうど半分じゃそうです。

竹造　（感心して）ぎょうさん集められたものじゃのう。下宿のおかみさんば《ば》かり責めるわけにはいけんで、ほんまに。

美津江は足の裏をはたいて家へ上がり、卓袱台を拭き、台所仕事などをするが、これから先しばらく、彼女はいま生まれた動揺と格闘する。

竹造　木下さんの下宿からここまでの道のりのことじゃが、あのオート三輪の運転手はなんぼあったいうとったかいのう。

美津江　ちょっきり片道一里十町、信号が六つ、踏切が一つ、そがあいうとったけえど。

竹造　ほいなら、あっちゃで積み込む時間を勘定に入れても、あと三、四十分もすれば、木下さんがまたここへきんさるわけじゃ。そんとき、またようおいでましたいうて挨拶《あいさつ》をすませたらすぐ、お風呂《ふろ》をおすすめせいや。

美津江　お風呂……？

竹造　（火吹竹を示して）こよな暑い日にゃあ、お風呂が一番の御馳走《ごっつぉー》じゃけえ。

美津江　お風呂を焚《た》いといてくれさったん？

竹造　ほいじゃが。

美津江　ごっつ気の利《き》く……。

竹造　だてに二十年も男やもめをやっとりゃせんわい。ほいで、木下さんは熱《あちー》い湯がお好きか、ほいともぬるめがええんじゃろか。

美津江　そよなことまでは知らんけえ。

竹造　それはそうじゃのう。ほんなら適当に沸かしちょくが、湯上がりにはなにか冷たい《ひゃい》もの《もん》を差し上げにゃいけんで。

美津江　ビールを一本、買《こ》うてあります。

竹　造　そりゃええ。せいでも運転手は冷たい《ひゃい》水でええで。こんな日には冷たい水でも御馳走じゃけえのう。

美津江　氷も五百匁《もんめ》目、買うといた。

竹　造　ほいから運転手には早う去って《いんで》もらわにゃいけんで。長居されたらやれんけえ、用心せえや。

美津江　次の仕事があるそうじゃけえ。

竹　造　(安心して) ほりゃえかった。ほいから新しい《にいな》手拭《てのごい》を用意しとかにゃあいけんで。

美津江　買うてあります。

竹　造　シャボンも要《い》るで。

美津江　それも買うてあります。

竹造　軽石は……。
美津江　買うてあります。
竹造　へちまは……。
美津江　買うてあります。
竹造　ほいから男物《おとこもん》の浴衣《ゆかた》じゃが……。
美津江　買うて……、そがあもんあるわけない《なー》。
竹造　（頷いて）男物の浴衣まで用意しとったら、ちいーと外聞が悪い《わりー》けえのう。おまいもよう心得とるじゃろうが、木下さんの背中を流すんはいくらなんでもまだ早いけえ、そがなことすなや。これまた外聞ちゅうもんがあるけえのう。
美津江　おとったん、薪《まき》をつがんでもええんですか。
竹造　わかっとる。それで《ほいで》夕飯《よーはん》の御馳走はなんじゃ。
美津江　ビールにじゃこ味噌《みそ》。

竹造　そりゃええ。
美津江　小いわしのぬた。
竹造　ええが、ええが。
美津江　醬油《しょうゆ》めし。
竹造　（舌なめずりして）醬油めしの加薬《かやく》はなんとなんとなんじゃ。
美津江　ささがきごんぼう、千切りにんじん、ほいから油揚《あぶりやーげ》げとじゃこ。
竹造　ごっつ、ええのう。
美津江　ほいで仕上げが真桑瓜《あじうり》じゃ。
竹造　（ためいきをついて）わしも招《よ》ばれとうなってきよった。
美津江　（竹造を見つめて）……おとったんが食べてくれんさったら、うちもうれしいんじゃけえどねえ。
竹造　（いきなり）夏休みは取れるんかいね。
美津江　……夏休み？

竹造　さっき出かけしなに、木下さんがいうとられたろうが。「夏休みが取れるようなら岩手へ行きませんか。九月の新学期までに一度、家へ帰ろう思うとるんです。美津江さんを連れて行ったら両親が非常に《じょうに》よろこびますけえ」

美津江　……夏休みは取ろう思うたら取れる思う。

竹造　ほいなら是非《ぜっぴ》行ってきんさい。

美津江　岩手はうちらの憧《あこが》れじゃった。宮澤賢治《みやざわけんじ》の故郷《ふるさと》じゃけえねえ。

竹造　その賢治くんちゅうんは何者かいね。

美津江　童話や詩をえっと書かれた人じゃ。この人の本はうちの図書館でも人気があるんよ。うちは詩が好きじゃ。

竹造　どがいな詩じゃ？

美津江　永訣《えいけつ》の朝じゃの、岩手軽便鉄道の一月じゃの、星めぐりの歌じゃの……。

竹造　ほう、星めぐりのう。

美津江　（調子高く）「あかいめだまのさそり、ひろげた鷲《わし》のつばさ、あおいめだまの小いぬ、ひかりのへびのとぐろ……」。星座の名をようけ読み込んだ歌なんよ。

竹造　星の歌なら小学校んときにつくったことがあるで。

美津江　……ほんま？

竹造　（調子高く）「今夜も夜になったけえ、三つ星、四つ星、七つ星、数えとったら眠とうて、とろりとろりとねんねした。上じゃ星さんぺーカペカ、下じゃ盗人《ぬしと》がごーそごそ、森じゃ……」

美津江　……！

竹造　風呂の火加減、見にゃいけんけえ、あとは割愛じゃ。たしか二重丸もろうて、教室の壁に貼《は》り出してもろうたはずじゃ。（去りかけて）木下さんが岩手へ行こういうて誘うたんは一種の求婚じゃ。そのへん、わかっとろうな。「森じゃふくろがぼろきて奉公せい、お寺じゃ狸《たのき》がぽんぽこぽん……」

竹造は火吹竹を振り回しながら下手へ去る。

それを見届けて、美津江は庭に下り、改めて地蔵の首を見る。やがてこころが決まる。しっかりした足取りで家に上がると、押入れから大きな風呂敷を出して身の回りのものを包み始める。

そこへ下手から竹造がやってきて、

竹造　木下さんは無精ひげを生やされとったけえ、剃刀《かみそり》を用意しとかにゃいけんで。

美津江　剃刀のたぐいは家の中に置かんことにしとる。首の血管に切りつけて亡《の》うなった被爆者がいくたりもおられたけえのう。風呂桶《おけ》につけといた左手首の血管をあれですらっと切って死にんさった方もおってです。

竹造　(美津江の様子を観察していたが)……おまい、ひょっとしたら荷造りしよるんじゃない《なー》か。ほいも岩手へ夏休み旅行に出かけようという荷物じゃなさそうじゃな。

美津江　(頷いて) 堀内先生の生花教授のお手伝いをさせてもらおう思うとる。間ものう家を出れば、七時五分の宮島行きの電車には《にゃー》乗れるじゃろう。

荷物をまとめ終えた美津江は、卓袱台に走り寄って便箋《びんせん》をひろげ鉛筆を構える。

竹造　(抑えながら) 木下さんが戻ってきんさるんじゃけえ、その案は考えもんでえ。だいたいが人を招んでおいて途中で放り出す《ほーくりだす》やつがあるか。ほいはごっつ失礼《ひっれー》ちゅうもんよ。

美津江　この手紙を玄関口のよう目につくところに置いて出るんじゃけえ、心配せんでもええのんです。

竹造　せっかくの御馳走はどよになるんじゃ。くさるにまかせて蠅《はえ》めらに食わせたるいうんか。

美津江　一人で上がってもらうんじゃ。木下さんに、そよに書いとくけえ。

竹造　風呂はどがあなるんじゃ。やっぱあ、勝手に風呂へ入ってちょんだい、いうて書くんか。

美津江　（頷《うなず》いて）そのあとの文章は……。（ちょっと空《くう》を睨《にら》んで考えて）お帰りの節は雨戸を閉め、玄関の鍵《かぎ》をかけて出てつかあさい、鍵はお隣りに預けてくれんさい。ほいで最後の一行は、大切な資料はこのままお預かりしときます。じゃけんど、うちのことはもうお忘れになってつかあさい、取り急ぎ……。

竹造　図書館にはもう出んのか。

美津江　……ええ。

竹　造　いつものややこしい病気がまた始まりよったな。

美津江　……ちがう！

竹　造　いんにゃー、病気じゃ。（縁先に上がる）わしゃのう、おまいの胸のときめきから、おまいの熱《あちー》いためいきから、おまいのかすかなねがいから現れよった存在なんじゃ。そいじゃけえ、おまいにそがあな手紙を書かせとってはいけんのじゃ。

竹造、美津江から鉛筆を取り上げる。

美津江　そいは大事な鉛筆《えんぺつ》じゃけえ、うちに戻してや。昭子さんとのお揃《そろ》いなんじゃ。ピカのときにモンペの隠しに入れとったけえ、生き延びた鉛筆なんじゃ。

竹造　おまいは病気なんじゃ。病名もちゃんとあるど。生きのこってしもうて亡《の》うなった友だちに申し訳ない《なー》、生きとるんがうしろめたい《たー》いうて、そよにほたえるのが病状で、病名を「うしろめとうて申し訳ない《なー》病」ちゅうんじゃ。（鉛筆を折って、強い調子で）気持はようわかる。じゃが、おまいは生きとる、これからも生きにゃいけん。そいじゃけん、そよな病気は、はよう治さにゃいけんで。

美津江　（思い切って）うちがまっことほんまに申し訳ない《なー》思うとるんは、おとったんにたいしてなんよ。

竹造　（虚をつかれて）なんな……？

美津江　もとより昭子さんらにも申し訳ない《なー》思うとる。じゃけんど、昭子さんらにたいしてえっとえっと申し訳ない《なー》思うことで、うちは、自分のしよったことに蓋《ふた》をかぶせとった。……うちはおとったんを見捨てて逃げよったこすったれなんじゃ。

庭へ飛び下り、力まかせに地蔵の首を起こす。

美津江　おとったんはあんとき、顔におとろしい火傷《やけど》を負うて、このお地蔵さんとおんなじにささらもさらになっとってでした。そのおとったんをうちは見捨てて逃げよった。

竹造　その話の決着ならとうの昔についとるで。

美津江　うちもそよに思うとった。そいじゃけえ、今さっきまで、あんときのことはかけらも思い出しゃあせんかった。じゃけんど、今んがた、このお地蔵さんの顔を見てはっきり思い出したんじゃ。うちはおとったんを地獄よりひどい火の海に置き去りにして逃げた娘じゃ。そよな人間にしあわせになる資格はない《なー》……。

竹造　途方もない《とっけもなー》理屈じゃのう。

美津江　覚えとってですか、おとったん。はっと正気づくと、うちらの上に家がありよったんじゃ。なんや知らんが、どえらいことが起こっとる。はよう逃げにゃいけん。そがあ思うていごいご動《いご》いとるうちに、ええ《えー》具合《がい》に抜け出すことができた。じゃが、おとったんの方はよう動けん。仰向けざま《あぬけだま》に倒れて、首から下は、柱じゃの梁《はり》じゃの横木じゃの、何十本もの材木に、ちゃちゃらめちゃくそに組み敷かれとった。「おとったんを助けてつかあさい」、声をかぎりに叫《おら》んだが、だれもきてくれん。

竹造　広島中、どこでもおんなじことが起こっとったんじゃけえのう。

美津江　鋸《のこ》もない《なー》、手斧《ちょうの》もない《なー》、木槌《きづち》もない《なー》。材木を梃子《てこ》にして持ち上げよう思うたがいけん、生爪《なまづめ》をはがしはがし掘ったがこれもいけん……。

竹造　ほんまにようて頑張ってくれたよのう。

美津江　そのうちに煙《けぷ》たい《たー》臭《にお》いがしてきよった。気がつくと、うちらの髪の毛

竹造　が眉毛《まひげ》がチリチリいうて燃えとる……。わしをからだで庇《かば》うて、おまいは何度となくわしに取りついた火を消《きや》してくれたよのう。……ありがとありました。じゃが、そがあことをしとっちゃ共倒れじゃ。そいじゃけえ、わしは「おまいは逃げい！」いうた。おまいは「いやじゃ」いうて動かん。しばらくは「逃げい」「いやじゃ」の押し問答よのう。

美津江　とうとうおとったんは「ちゃんぽんげで決めよう」いいだした。「わしはグーを出すけえ、かならず《かぜっぴ》おまいに勝てるぞ」いうてな。

竹造　「いっぷく、でっぷく、ちゃんちゃんちゃぶろく、ぬっぱりきりりん、ちゃんぽんげ」（グーを出す）

美津江　（グーで応じながら）いつもの手じゃ。

竹造　ちゃんぽんげ（グー）

美津江　（グー）見えすいた手じゃ。

竹造　ちゃんぽんげ（グー）
美津江　（グー）小さいころからいつもこうじゃ。
竹造　ちゃんぽんげ（グー）
美津江　（グー）この手でうちを勝たせてくれんさった。
竹造　ちゃんぽんげ（グー）
美津江　（グー）やさしかったおとったん……。
竹造　（怒鳴る）なひてパーを出さんのじゃ。はよう勝って、はよう逃げろいうとんのがわからんか、このひねくれもんが。親に孝行する思うてはよう逃げいや。（血を吐くように）おとったんに最後の親孝行をしてくれや。たのむで。ほいでもよう逃げんいうんなら、わしゃ今すぐ死んじゃるど。

短い沈黙。

竹造 ……こいでわかったな。おまいが生きのこったんもわしが死によったんも、双方納得ずくじゃった。

美津江 じゃけんど、やっぱあ見捨てたことにかわりがない《なー》。うち、おとったんと死なにゃならんかったんじゃ。

竹造 (また怒鳴る) このあほたれが。

美津江 ……!

竹造 おまいがそがあばかたれじゃったとはのう。女専まで行ってなにを勉強しとった?

美津江 じゃけんど……、

竹造 (ぴしゃり) 聞いとれや。あんときおまいは泣き泣きこよにいうとったではない《なー》か。「むごいのう、ひどいのう、なひてこがあして別れにゃいけんのかいのう」……。覚えとろうな。

美津江　（かすかに頷《うなず》く）……。
竹造　応《こた》えてわしがいうた。「こよな別れが末代まで二度とあっちゃいけん、あんまりむごすぎるけえのう」
美津江　（頷く）……。
竹造　わしの一等《えっとー》おしまいのことばがおまいに聞こえとったんじゃろうか。「わしの分まで生きてちょんだいよォー」
美津江　（強く頷く）……。
竹造　そいじゃけえ、おまいはわしによって生かされとる。
美津江　生かされとる？
竹造　ほいじゃが。あよなむごい別れがまこと何万もあったちゅうことを覚えてもろうために生かされとるんじゃ。おまいの勤めとる図書館もそよなことを伝えるところじゃないんか。
美津江　え……？

竹造　人間のかなしいかったこと、たのしいかったこと、それを伝えるんがおまいの仕事じゃろうが。そいがおまいに分からんようなら、もうおまいのようなあほたれのばかたれにはたよらん。ほかのだれかを代わりに出してくれいや。

美津江　ほかのだれかを？

竹造　わしの孫じゃが、ひ孫じゃが。

短い沈黙のあと、美津江はゆっくりと台所へ行き、庖丁《ほうちょう》を握りしめる。そしてしばらく竹造を見ていたが、やがてごぼうを取ってささがきに削《そ》ぎはじめる。そのうちにふと、手を止めて、

美津江　こんどいつきてくれんさるの？

竹造　おまい次第じゃ。

美津江　（ひさしぶりの笑顔で）しばらく会えんかもしれんね。

竹造　……。

そのとき、遠方でオート三輪の音。

竹造　こりゃいけん、薪《まき》をつぐんを忘れとった。

竹造、すたすたと下手奥へ去る。美津江、その背へ、

美津江　おとったん、ありがとありました。

オート三輪の音が近づいてくる気配のうちにすばやく幕が下りてくる。

劇場の機知――あとがきに代えて

どうすれば、いま書こうとしている作品に、それまでになかったような演劇的時空間を与えることができるのか。これこそ劇を書く者の最大関心事にちがいありません。逆に云《い》えば、ほんとうの劇作家とは、それまでになかったような新しい演劇的時空間をつくりだそうとして苦心する作家のことなのです。

それにしても演劇的時空間とはなんでしょうか。字面《じづら》だけ見ると、なにか七面倒な術語のようですが、意味はじつに簡単です。「舞台でしかつくることのできない空間や時間」のことを、演劇的時空間といいます。「これから書こうとしている芝居は小説にもなるのではないか。詩にもなりはしないか」

劇作家は、いつもそう自問自答しています。

「主題や人物や事件をこういうふうに処理するならば、舞台でしかつくることのできない空間や時間が生まれる」

劇作家は、そう得心が行ってはじめて机に向うのです。

この演劇的時空間は、台詞《せりふ》に直《じか》に表れることはありません。それは台詞の底にあるもので、もっと云えば、台詞を作り出す土台になる機知、劇場そのものがもともとから備えている機知のこと。この劇場の機知こそが演劇的時空間の生みの母なのです。

なんだか小むずかしい理屈をこねているようですが、実例をごらんになれば、このことはすぐおわかりになります。

不遜《ふそん》は承知の上で、わたしの戯曲を例にとれば、『藪原検校《やぶはらけんぎょう》』は、盲人の芝居一座が、彼らの英雄の一代記を劇中劇で上演するという体裁で書かれています。この「劇中劇」という、劇場にしかない機知が、すべての台詞を底の方から管理しています。

『化粧』は、大衆演劇の女座長がたった一人で演じる芝居です。だからといって、これは一人芝居ではありません。彼女の周囲には、出番を待ちながら化粧に精を出す十数人の座員がいるのですが、「それらを、いることにして見せない、透明人間扱いにする」。これも劇場にしかない機知です。

もう一つ例をあげれば、『きらめく星座』では、ひたすら追いかける者（憲兵）が職務に熱心なあまり、ひたすら逃げる者（脱走兵）を追い越してしまいます。この「過剰な追跡」も劇場の機知です。

この三作品は、各国の言葉に翻訳され、世界のあちこちで上演されていますが、その理由はただ一つ、日本語で書かれた台詞は言葉の壁に突き当たり、翻訳という名の壁壊しの作業を通して大幅にその魅力を失いますが、劇場の機知だけは、まったく無傷のまま言葉の壁をすんなりと通り抜けることができる。その機知に異言語の劇場の観客がよろこぶわけです。

『父と暮せば』も、一九九六年にフランス語訳ができ、翌年に、フランス各地で上演され、娘の美津江をイタリアの女優が、そして父親の竹造をフランス人の男優が演じました。自分で云うのも照れくさいのですが、反響は大きなものがありました。翻訳によって、この戯曲の取り柄の一つである広島方言のおもしろさはすべて消えてしまいましたが、しかしこの戯曲の底に仕組んである劇場の機知のおかげで、主題はそのまま伝わりました。

ここに原子爆弾によってすべての身寄りを失った若い女性がいて、亡《な》くなった人たちにたいして、「自分だけが生き残って申しわけがない。ましてや自分がしあわせになったりしては、ますます申しわけがない」と考えている。このように、自分に恋を禁じていた彼女が、あるとき、ふっと恋におちてしまう。この瞬間から、彼女は、「しあわせになってはいけない」と自分をいましめる娘と、「この恋を成就《じょうじゅ》させることで、しあわせになりたい」と願う娘とに、真っ二つに分裂してしまいます。

……ここまでなら、小説にも詩にもなりえますが、戯曲にするには、ここで劇場の機知に登場してもらわなくてはなりません。そこで、じつによく知られた「一人二役」という手法に助けてもらうことにしました。美津江を「いましめる娘」と「願う娘」にまず分ける。そして対立させてドラマをつくる。しかし一人の女優さんが演じ分けるのはたいへんですから、亡くなった者たちの代表として、彼女の父親に「願う娘」を演じてもらおうと思いつきました。べつに云えば、「娘のしあわせを願う父」は、美津江のこころの中の幻なのです。ついでに云えば、「見えない自分が他人の形となって見える」という幻術も、劇場の機知の代表的なものの一つです。一人二役＋幻術、劇場の機知を二つ重ねたところが、フランスの観客をよろこばせたのだろうと、いまのところは勝手にそう考えています。

自作を解説するぐらいバカバカしい仕事はないのですが、劇を書く者が、日頃、なにを考えているかを知っていただくことも一興と思い、手前味噌《みそ》を書き並べました。お許しください。

井上ひさし

主要参考資料

大江健三郎『ヒロシマ・ノート』岩波新書。広島市・長崎市原爆災害誌編集委員会編『広島・長崎の原爆災害』岩波書店。広島市立浅野図書館編集発行『広島市立浅野図書館略年表』。広島市編集発行『広島新史』。中国電気通信局『広島原爆誌』。日本原水爆被害者団体協議会『ヒロシマ・ナガサキ死と生の証言』新日本出版社。家永三郎・小田切秀雄・黒古一夫編『日本の原爆記録』、『ヒロシマ・ナガサキ原爆写真・絵画集成』日本図書センター。峠三吉『原爆詩集』青木書店。西山洋子「原ばく」。林幸子「ヒロシマの空」。深川宗俊「冴えた眼から」。関千枝子『広島第二県女二年西組』筑摩書房。中国新聞社編集発行『写真で見る広島あのころ』。奥住喜重・工藤洋三・桂哲男訳『米軍資料原爆投下報告書』東方出版。山極晃・立花誠逸編、岡田良之助訳『資料 マンハッタン計画』大月書店。平山輝男他編『現代日本語方言大辞典』明治書院。広島師範学校郷土研究室編『広島県方言の研究』芸文堂書店。広島公共職業安定所編集発行『ひろしまことば』。町博光監修、NHK広島放送局編『今じゃけえ広島弁』第一法規出版。村岡浅夫編『広島県方言辞典』南海堂。井上ひさし編著『共通語から広島方言を引く辞典』自家製。方言監修＝大原穰子。資料提供＝広島市立中央図書館。他にも多くの方がたの資料や手記のお世話になりました。ありがとありました。

作者敬白

○初演＝こまつ座第34回公演　一九九四年九月三日〜二十二日　紀伊國屋ホールほか山形県下巡演

演出／鵜山仁　出演／すまけい・梅沢昌代

○再演＝こまつ座第38回公演　一九九五年八月十一日〜十五日　ベニサン・ピット

こまつ座第39回公演　一九九五年十月二十五日〜十二月十日　紀伊國屋ホールほか全国巡演

こまつ座第45回公演　一九九七年六月七日〜九月十二日　全国巡演
以上、演出・出演とも初演に同じ

こまつ座第49回公演　一九九八年五月二十三日〜七月十九日　紀伊國屋サザンシアターほか全国巡演
演出／鵜山仁　出演／前田吟・春風ひとみ

こまつ座第52回公演　一九九九年五月三十一日〜七月十八日　紀伊國屋サザンシアターほか全国巡演
演出／鵜山仁　出演／沖恂一郎・斉藤とも子

こまつ座第59回公演　二〇〇〇年八月十八日〜九月十一日　全国巡演
演出・出演とも52回公演に同じ

解説

今村忠純

「もはや『戦後』ではない」と説かれ、経済白書「日本経済の成長と近代化」が発表されたのは、昭和三十一年（一九五六）のことである。「戦後」とは、戦争が終ってから短くて十年、それが一区切りだったのかとおもいあたる。おもいあたりはしても、そのときにも「ほんとうに戦後は終ったのか」の論が、さかんにいわれた。まだ終ってはいなかった「戦後」をめぐってのおびただしい情念のたぎりが証明されただけだった。

人間の数だけ「戦後」はある。それは生者ばかりにではない。死者にも「戦後」はある。測定不可能の「戦後」は、いまもずっと遅延されている。

井上ひさし氏における「戦後」という記号もまたずっと遅延されつづけている。「父と暮せば」再演のための「前口上」（「the座」第31号、'95・10）で、氏は次のように書いていた。

一説には被爆者は六十万人を超へるといふ。そして原爆死没者名簿記載者の累計《るいけい》は、平成六（一九九四）年八月六日現在で、二八万九二一五人（ヒロシマ一八万六九四〇人、ナガサキ一〇万二二七五人）に達しておりますから、被爆者の半数以上の方がたが、いまもなほ辛酸《しんさん》を舐《な》めておいでなのです。「地獄以上の地獄」を五十年間も生き抜いてこられた方がたが大勢ゐらつしやるわけで、その方がたの苦しみを書かずにすますことはできないのではないか。

（中略）

「原爆？　あれは日本へくだされた天の鉄鎚《てつつい》、つまり天罰ですね」と、さう云《い》つた人もおります。かういふ発言が出てくるのも、日本がまだ十全には戦争責任をとつてゐないといふ証左なのではないか。

さらに、今年のフランスと中国の核実験でいつさうはつきりしたことがあります。核の傘の下にある（といふことは間接的には核の所有者でもある）日本人が、核実験反対、核兵器廃絶を唱へる資格を万全に備へてゐるのかどうか。

また、原子力発電所（見方を変へれば、これは核兵器の原料プルトニウムの正統的な工場）の廃棄物の再処理をＣＯＧＥＭＡ（フランス核燃料公社）に任せてゐる日本人に、フランスの核実験に反対する正当な資格があるのかどうか。

……つまり無邪気に、かつ暢気《のんき》に「過《あやま》ちを繰り返すな」と叫んでも、どうにも埒《らち》の明かない次元にわたしたちはゐるらしい。にもかかはらず、わたしたちは、これからも核凍結から核廃絶に至るじつに困難な道を倦《う》まずに歩き続けなければならないのです。そのときに支えになる確かな鍵《かぎ》言葉はなにか。

おもえば「核廃絶」問題は、「ラッセル・アインシュタイン宣言」からパグウォッシュ会議へと、くり返し論議されてきたことなのだった。「核廃絶」を不問にして、地球の未来に真の平和はのぞめないということである。これらをうけて第一回科学者京都会議が開催されたのは、昭和三十七年（一九六二）であり、そこに井上ひさし氏が名を連ねるのは、昭和五十六年（一九八一）の第四回科学者京都会議の「声明」からだった。

核廃絶に至るじつに困難な道、その道を歩きつづけるために支えになる確かな鍵言葉、氏はその「鍵言葉」をさがしていた。そしていまも。

「父と暮せば」には、その重要な「鍵言葉」の一つがある。

その一つとは現代の社会が「戦後」の高度経済成長のなかで喪失してしまった死者との対話、死者との共生の感覚ではなかったか。かつて私たちは、死者の声に耳かたむけることにあまり疑いをもたない世界に住んでいた。死者の声が聞こえたり、死者が立ちあらわれたりすることに、少しのふしぎもないような世界に暮していた。死者との共生であり、「生きている死者」との対話がすぐそこにあったのである。

「父と暮せば」には、失われてしまった「死者との共生」の感覚が奇蹟《きせき》のように表現されている。たとえば世阿弥のように、である。

世阿弥の発明した新形式の能に、夢幻能のあったことはよく知られている。夢幻能形式の能といえば、脇能物《わきのう》のたいていがそうだし、「忠度《ただのり》」に代表される修羅物のすべてがこれにあたる。「野宮」「井筒」などの鬘物《かずら》にもおおくみられるものである。

夢幻能とは、だいたい次のような構成をもっている。

旅僧（ワキ、脇役）が、自らを名のる。ある土地、ある場所に行く。するとそこにこれもある人物（シテ、主人公）があらわれ、その土地、場所をめぐっての（ゆかりの）あるモノ、コトを物語る。ワキが問いかけ、シテがこれにこたえる。シテはおのれの心境を表白する。シテの本体が明かされ、なにものかの化身であることが知らされる。ワキもまたそれに同感し、理解する。

ついでシテがありし日の姿であらわれる。例示すれば、修羅物のシテは武将ときまっている。修羅道（地獄）におちた苦しみ、そのありさまを（仕方話で）再現してみせる。ワキに回向《えこう》を願い、成仏《じょうぶつ》を念ずる……。

「父と暮せば」は、最新式の夢幻能である、などとさかしらを分け知り顔にいおうとしているのではけっしてない。それをいうのならこういうことである。

世阿弥は父観阿弥の至芸の弘《ひろ》さと深さを説いている。そのときに用いていた言葉が「和光同塵《わこうどうじん》」だった。「和光同塵」という言葉は老子にある。智徳《ちとく》ある人が、その智徳をつつみかくして俗世間に同化しまじること、さらに仏、それについでの菩薩《ぼさつ》が、衆生を教化するために、本来の智徳の光をかくし煩悩《ぼんのう》の塵《ちり》に同じて、人界・欲界にあらわれることをいう。

「父と暮せば」は、まるで「和光同塵」の戯曲である。芝居の見巧者はもとより、おとなから子どもまで、すべての観客を満足させ喜ばせる名作である。

「今週の本棚」(「毎日新聞」'98・6・14)は、これを「笑いと涙と、戦後日本の最高の喜劇」(丸谷才一)と批評していたのだった。「断って置くが、爆笑と哄笑《こうしょう》と微笑の喜劇である。もちろんハピー・エンディング。そして何度も何度も泣かされる。われわれはあの戦争の死者たちによって、怨念《おんねん》を聞かされるのではなく、自分たちの分まで元気に生きて、生きることを楽しんでくれと激励されるのである」。

「和光同塵」、さらに思いきって衆生済度の物語といってしまうと、いかにも仏典めいてしまう、これでは的はずれに聞こえてしまうのかもしれない。

しかしこの日、六年前の一九九四年九月三日のこまつ座第三十四回公演「父と暮せば」の初日の紀伊國屋ホールの舞台は、もうすっかりあたたかいなみだにゆすれたのだった。この日だけ観客のすべてが特別になみだもろくなっていたのではけっしてない。

なみだにゆすれたのは感動のありきたりの常識からではない。すべての観客が済度されたのである。

＊

昭和二十三年（一九四八）七月下旬のある日、午後五時半。

ここは広島市、比治山《ひじやま》の東側、福吉《ふくよし》美津江の家。

図書館の館員である美津江が、雷雨のなかを下駄《げた》をならし息せききって駆け込んでくる。

「父と暮せば」の幕はこうして上がる。

美津江、二十三歳。旧式の白ブラウス、仕立て直しの飛白《かすり》のモンペをきりっとはいて、ハンドバッグ代りの木口の買物袋をしっかり抱いている。稲光りの雷鳴におびえている。

肩で息をしている。茶の間に足を踏み入れたとき、またも稲光りと雷鳴。

美津江　おとったん、こわーい！

押入れの襖《ふすま》がからりと開いて上の段から父の竹造、

竹　造　こっちじゃ、こっち。はよう押入れ《とだな》へきんちゃい。

白い開襟《かいきん》シャツに開襟の国民服。雷よけに座布団《ざぶとん》を被《かぶ》っている。美津江にも座布団を投げてやる。

娘がドンドロさんにおびえこわがるようになったのは、あのピカのときからである。ト書の「稲光り」はいつのまにか「閃光《せんこう》」と書き分けられている。三年前の八月六日、原爆で死んだはずの父の竹造が、なぜかこうしてこんなところにいた。

美津江　（ギクリが半分、うれしさも半分）おとったん、やっぱあ居《お》ってですか。

竹　造　そりゃ居るわい。おまいが居りんさいいうたら、どこじゃろといつじゃろと、わしは居るんじゃけえのう。居らんでどうするんじゃ。

娘は父にここにいてほしいと願っていた。娘のこころの声が、死んだ父にとどいたのだ。美津江が「飲もうか」といって湯呑に注いだ麦湯、「たべようね」と二つに割った饅頭はともに「生きている死者」への供物でもあった。「生きている死者」との対話がはじまる。

本書の「劇場の機知――あとがきに代えて」をあらためて読んでみる。

ここに原子爆弾によってすべての身寄りを失った若い女性がいて、亡《な》くなった人たちにたいして、「自分だけが生き残って申しわけがない。ましてや自分がしあわせになったりしては、ますます申しわけがない」と考えている。このように、自分に恋を禁じていた彼女が、あるとき、ふっと恋におちてしまう。この瞬間から、彼女は、「しあわせになってはいけない」と自分をいましめる娘と、「この恋を成就《じょうじゅ》させることで、しあわせになりたい」と願う娘とに、真っ二つに分裂してしまいます。


いわずもがなのことなのだが、この場合の「一人二役」とは、二つの「役」を一人で演じ分けるというのではない。

「この恋を成就させることで、しあわせになりたい」と自分のしあわせを「願う娘」と、「自分にはしあわせになる資格がない。しあわせになってはいけない、申しわけがない」と自分を「いましめる娘」の二人。

私たちは、こころの中のもう一人の自分と対話する娘の声をきいている。

こころの中のもう一人の自分、しあわせを「願う娘」のほうが「娘のしあわせを願う父」となってあらわれる。だから「一人二役」になるのだが、もとはといえば娘の「一役」である。一人芝居である。氏はこれを「二人」に分けての「二人一役」の二人芝居にした。

この劇場の「機知」に私たちはもっと驚き、こころふるえてもいい。

しあわせを「願う娘」がなぜ「娘のしあわせを願う父」となってあらわれたのか。「父」はいつだってどこにいても「娘」のしあわせを願っている、などというのはとても見易《みやす》い道理である。私はそうではないとおもう。

私はここに意識の深みにおりていく井上ひさし氏のおもいをみる。「娘のしあわせを願う父」が、どこかでイエスのイメージとつながってくる。

そういえば被爆者の方たちのたくさんの「手記」、氏はこれを「聖書」と呼んでいたのだった。「生きている死者」の声もまたおなじである。

父は、火の海のなかに置きざりにされた。死者の声が、怨嗟《えんさ》となってあらわれても、すこしもおかしくないはずだ。ところが死者は生者にたいしてかぎりなくやさしい。生者が死者にたいしていつまでも負い目を感じている必要はまったくない、もっと自由になっていい、もっとしあわせになっていい、と。

たしかに死者の声はそのように聞こえる。人間はかなしかったこと、つらかったことを「経験」すると、そこからいっときでもはやく逃げだそうとする。そのような「経験」はさっさと忘れようとする。死者の声もまた、すすんでこれを忘れなさい、と。

いやけっしてそうなのではない。かなしかったこと、つらかったことをちゃんと記憶し伝えてこそはじめてほんとうの「自由」であり、「しあわせ」である。「あよなむごい別れがまこと何万もあったちゅうことを覚えてもろうために生かされとるんじゃ」。かなしみを深めて生きていく以外に人間の生き方の深まりは測れない。闇《やみ》に光が、かなしみのあるところに喜びがもたらされる。

父の竹造は、さいごに死者の記憶を娘に伝えていたのだ。美津江はこのときはじめてかなしみの重圧からときはなたれ、一人のしあわせを「願う娘」となることができる。美津江はしあわせを「願う」ことのほんとうの意味を知ることができる。

三年前に原爆で死んだ父が娘のこころの中にずっと生きつづけていたのだ。娘にとってこのとき父は「生きている死者」となる。しあわせを「願う娘」の声は、「生きている死者」の声となるのだ。

さらにもっと大切なことがある。「生きている死者」のその声とは、原子爆弾の炸裂《さくれつ》、一瞬の閃光がうばいさった広島ことばだったということである。すべての身寄りをなくし、かなしみにたえてたった一人ひっそりと生きてきた娘に、その声がうれしく聞こえてくる。広島ことばこそが「歴史」を支えていた。広島ことばという「歴史」がよみがえる。

＊

美津江はたちまち木下さんにこころひかれる。結婚したいとおもう。美津江は、けなげにしあわせを「願う娘」になる。しあわせを「願う娘」は「娘のしあわせを願う父」になっている。井上ひさし氏は、娘は真っ二つに分裂してしまいますと書いていた。この絶妙な仕掛けが生きてくる。

福吉屋旅館名物のじゃこ味噌《みそ》をつくったのももちろん美津江である。これを木下さんへのおみやげにとおもいたったのだった。「うちがじゃこ味噌つくろう思うとんのを、どうして知っとったですか？」

美津江が夏休みこどもおはなし会にそなえてリハーサルをしているのがこの2場である。ところが、美津江のこころの中は、木下さんへのおもいがあふれている。そのためにこのリハーサルだってさっぱり身がはいらない。

木下さんは美津江にこういった。「原爆資料を使《つこ》うて、なんかええおはなしがつくれないものでしょうか」と。「ヒロシマの一寸法師」をおもいつく。木下さんに気に入ってもらいたい一心からだった。もちろん娘の「恋の応援団長」としてあらわれた父、「娘のしあわせを願う父」のつくったものだが、また、しあわせを「願う娘」、もう一人の自分のつくったものでもあった。

美津江　話をいじっちゃいけんて！　前の世代が語ってくれた話をあとの世代にそっくりそのまま伝える、……

「娘のしあわせを願う父」によって美津江はそのことをあらためて自覚させられる。これが4場だった。娘は死者の記憶を聞きとどける。

竹造 ほいじゃが。あよなむごい別れがまこと何万もあったちゅうことを覚えてもろうために生かされとるんじゃ。おまいの勤めとる図書館もそよなことを伝えるところじゃないんか。

美津江 え……？

竹造 人間のかなしいかったこと、たのしいかったこと、それを伝えるんがおまいの仕事じゃろうが。そいがおまいに分からんようなら、もうおまいのようなあほたれのばかたれにはたよらん。ほかのだれかを代わりに出してくれいや。

美津江 …………

竹造 こんどいつきてくれんさるの？

美津江 おまい次第じゃ。

竹造 （ひさしぶりの笑顔で）しばらく会えんかもしれんね。

竹造 ……。

美津江は、父の一所懸命の説得にもかかわらず、それまではかたくなにこれに耳をかそうとしなかった。「こんどいつきてくれんさるの？」。だからこの美津江の問いにたいしても、父はまだいささか憮然《ぶぜん》としてそっけない。「おまい次第じゃ」と。

いうまでもなくこのセリフは、1場の「おとったんはまだ居ってん？」という美津江の問いにたいする父の「それゃおまい次第じゃろうがのう」というセリフに照応している。ついで美津江は「ほいじゃ、そのへんをきれいにしといてつかあさい」といっていたのだった。このときはまだどうしても父にここにいてもらわなければならなかった。

「おまい次第じゃ」という父のセリフをうけての美津江の「(ひさしぶりの笑顔で)」(のト書)がとてもいい。またとないほどにはればれとした美津江のこぼれるような笑顔がうつくしい。こわばりは、とけた。

「(ひさしぶりの笑顔で) しばらく会えんかもしれんね」。ほんとうに屈託なく、これはなんでもなくすらすらといってしまうセリフだ。にもかかわらず万感こもっている。忘れられないセリフである。

父は美津江のこの一言によってようやく万事がのみこめた。「無言」の父の言葉がそれにこたえる。「……。」の表情がいい。いかにもうれしそうだ。父もこれでしばらく娘に用はなくなった。

父はあっさりすたすたときえてしまう。美津江、その背へ「おとったん、ありがとありました」。

「生きている死者」にたいしてのこれほどにない感謝のことばがすべてを「済度」する。済《すく》われる。

（平成十二年十二月、大妻女子大学教授）

この作品は平成十年五月新潮社より刊行された。

父《ちち》と暮《くら》せば

新潮文庫　い－14－28

平成十三年二月一日発行
令和六年十月十五日二十五刷

著者　井《いの》上《うえ》ひさし

発行者　佐藤隆信

発行所　株式会社新潮社
郵便番号　一六二－八七一一
東京都新宿区矢来町七一
電話　編集部(〇三)三二六六－五四四〇
読者係(〇三)三二六六－五一一一
https://www.shinchosha.co.jp

価格はカバーに表示してあります。

乱丁・落丁本は、ご面倒ですが小社読者係宛ご送付ください。送料小社負担にてお取替えいたします。

印刷・大日本印刷株式会社　製本・株式会社大進堂

ISBN978-4-10-116828-9　C0193